D0528666

Hans Christian Andersen
Die Schneekönigin

Ein Märchen in sieben Geschichten

Aus dem Dänischen

von Mathilde Mann

Mit farbigen Illustrationen

von Birgit Ackermann

Insel Verlag

insel taschenbuch 2578
Erste Auflage 1999
Für diese Ausgabe:
© Insel Verlag Frankfurt am Main und Leipzig 1999
Hinweise zu dieser Ausgabe am Schluß des Bandes
Vertrieb durch den Suhrkamp Taschenbuch Verlag
Umschlag nach Entwürfen von Willy Fleckhaus
Satz: Hümmer GmbH, Waldbüttelbrunn
Druck: Konkordia, Bühl
Printed in Germany

1 2 3 4 5 6 – 04 03 02 01 00 99

Inhalt

Erste Geschichte,
die von dem Spiegel und
den Scherben handelt

So! nun fangen wir an. Wenn wir am Ende der Geschichte sind, wissen wir mehr, als wir jetzt wissen, denn es war ein böser Kobold! Es war einer von den allerschlimmsten, es war »der Teufel«. Eines Tages war er so recht guter Laune, denn er hatte einen Spiegel gemacht, der die Eigenschaft besaß, daß alles Gute und Schöne, was sich darin spiegelte, zu fast nichts zusammenschwand, aber was nichts taugte und sich schlecht ausnahm, das trat so recht hervor und wurde noch ärger. Die schönsten Landschaften sahen in dem Spiegel aus wie gekochter Spinat, und die besten Menschen wurden ekelhaft und standen auf dem Kopfe ohne Bauch. Die Gesichter wurden so verzerrt, daß sie nicht zu erkennen waren, und hatte man eine Sommersprosse, so konnte man sicher sein, daß sie sich über Nase und Mund ausbreitete. Das sei höchst belustigend, sagte der Teufel. Ging ein guter, frommer Gedanke durch einen Menschen, dann gab der Spiegel ein Grinsen wieder, so daß der Teufel über seine kunstvolle Erfindung lachen mußte. Alle, die die Koboldschule besuchten, denn er hatte eine Koboldschule eingerichtet, erzählten weit und breit, daß ein Wunder geschehen sei; erst jetzt, meinten sie, könne man sehen, wie die Welt und die Menschen wirklich aussähen. Sie liefen mit dem Spiegel umher, und schließlich gab es kein Land und keinen Menschen mehr, die nicht verzerrt von dem Spiegel zurückgestrahlt worden wären. Nun wollten sie auch zum Himmel emporfliegen, um sich über die Engel und den lieben Gott lustig zu machen. Je höher sie mit dem Spiegel flogen, um so mehr grinste er, sie konnten ihn kaum festhalten;

höher und höher flogen sie, Gott und den Engeln immer näher; da erbebte der Spiegel so schrecklich in seinem Grinsen, daß er ihren Händen entfiel und zur Erde stürzte, wo er in hundert Millionen, Billionen und noch mehr Stücke zersprang. Und nun richteten sie gerade noch viel mehr Unheil an als bisher, denn einige Stücke waren kaum so groß wie ein Sandkorn, und diese flogen ringsumher in der weiten Welt; und wo sie jemand ins Auge bekam, da blieben sie sitzen, und da sahen die Menschen alles verkehrt oder hatten nur Auge für das, was bei einer Sache verkehrt war, denn jede kleine Spiegelscheibe hatte dieselbe Kraft behalten, die der ganze Spiegel besaß; einige Menschen bekamen sogar eine kleine Spiegelscheibe ins Herz, und dann war es ganz gräßlich, das Herz ward gleichsam zu einem Klumpen Eis. Einige Stücke von dem Spiegel waren so groß, daß sie zu Fensterscheiben verwendet wurden, aber es war nicht gut,

seine Freunde durch diese Scheiben zu betrachten; andere Stücke wurden in Brillen gefaßt, und wenn dann die Leute diese
Brillen aufsetzten, um recht zu sehen und
gerecht zu sein, so hatte das gar keine Art;
und der Böse lachte, daß ihm der Bauch
platzte, und das kitzelte ihn so herrlich. Draußen aber flogen noch kleine Glassplitter
in der Luft umher. Nun werden wir hören!

Zweite Geschichte
Ein kleiner Knabe und
ein kleines Mädchen

Drinnen in der großen Stadt, wo so viele
Häuser und Menschen sind, daß nicht Platz
genug zu einem kleinen Garten für alle
Leute ist, und wo sich deshalb die meisten
mit Blumen in Blumentöpfen begnügen
müssen, waren doch zwei arme Kinder, die
einen Garten hatten, der ein wenig größer
war als ein Blumentopf. Sie waren nicht Bruder und Schwester, aber sie hatten sich eben-
so lieb, als wenn sie es gewesen wären.
Die Eltern wohnten einander gerade gegenüber in zwei Dachkammern; da wo das
Dach des einen Nachbarhauses an das andere stieß und die Wasserrinne zwischen
den Dächern entlanglief, da war in jedem
Hause ein kleines Fenster; man brauchte

nur sperrbeinig über der Rinne zu stehen, dann konnte man von dem einen Fenster zu dem andern gelangen.

Die Eltern hatten draußen jeder einen großen hölzernen Kasten, und darin wuchsen die Küchenkräuter, die sie gebrauchten, und ein kleiner Rosenstock; da war einer in jedem Kasten, und sie wuchsen so herrlich. Nun kamen die Eltern auf den Einfall, die Kasten quer über die Rinne zu stellen, so daß sie fast von dem einen Fenster bis an das andere reichten und ganz aussahen wie zwei Blumenwälle. Die Erbsenranken hingen über die Kasten hinab, und die Rosenstöcke schossen lange Zweige, schlängelten sich um die Fenster und neigten sich einander zu: es sah fast aus wie eine Ehrenpforte von Blumen und Grün. Da die Kasten sehr hoch waren und die Kinder wußten, daß sie da nicht hinaufkriechen durften, so erhielten sie oft Erlaubnis, zueinander hinauszusteigen und auf ihren kleinen Schemeln unter den Rosen

zu sitzen; und da spielten sie dann so herrlich.

Im Winter hatte ja das Vergnügen ein Ende;
die Fenster waren oft ganz zugefroren, aber
dann wärmten sie Kupfer-Schillinge im Ofen,
legten die heiße Münze gegen die gefrorene
Fensterscheibe, und nun entstand da ein köst-
liches Guckloch, so rund, so rund; dahinter
lugte ein lieblich sanftes Auge hervor, eins
an jedem Fenster; das war der kleine Knabe
und das kleine Mädchen. Er hieß Kay, und
sie hieß Gerda. Im Sommer konnten sie
mit einem Sprunge zueinandergelangen, im
Winter mußten sie erst die vielen Treppen
hinab- und die vielen Treppen hinaufsteigen;
draußen stob der Schnee.

»Das sind die weißen Bienen, die schwärmen«, sagte die alte Großmutter.

»Haben sie auch eine Bienenkönigin?«
fragte der kleine Knabe, denn er wußte, daß
unter den wirklichen Bienen eine solche ist.

»Freilich haben sie die!« sagte die Großmutter. »Sie fliegt da, wo sie am dichtesten schwärmen! Sie ist die größte von ihnen allen, und nie bleibt sie ruhig auf der Erde, sie fliegt wieder in die schwarze Wolke hinauf. Manche Winternacht fliegt sie durch die Straßen der Stadt und lugt in alle Fenster hinein, und da frieren die gar sonderbar zu, wie mit lauter Blumen bedeckt.«

»Ja, das habe ich gesehen!« sagten beide Kinder, und dann wußten sie, daß es wahr sei.

»Kann die Schneekönigin hier hereinkommen?« fragte das kleine Mädchen.

»Laß sie nur kommen!« sagte der Knabe, »dann setze ich sie auf den warmen Ofen, und dann schmilzt sie.«

Aber die Großmutter glättete sein Haar und erzählte andere Geschichten.

Am Abend, als der kleine Kay zu Hause und halb entkleidet war, kroch er auf den Stuhl am Fenster und guckte durch das kleine Loch hinaus; ein paar Schneeflocken fielen

draußen, und eine davon, die allergrößte, blieb auf dem Rande des einen Blumenkastens liegen; die Schneeflocke wuchs mehr und mehr, sie ward schließlich eine ganze Dame, in den feinsten weißen Flor gekleidet, der wie aus Millionen sternenartigen Flokken zusammengesetzt war. Sie war so schön und so fein, aber aus Eis, aus blendendem, glitzerndem Eis, und doch war sie lebendig; die Augen starrten wie zwei klare Sterne, aber es war weder Ruh noch Rast in ihnen. Sie nickte nach dem Fenster hinüber und winkte mit der Hand. Der kleine Knabe erschrak und sprang vom Stuhl hinab; da war es, als wenn da draußen ein großer Vogel am Fenster vorüberflöge.

Am nächsten Tage war klarer Frost – und dann wurde es Tauwetter –, und dann kam der Frühling, die Sonne schien, das Grün sproß hervor, die Schwalben bauten Nester, die Fenster wurden geöffnet, und die kleinen Kinder saßen wieder in ihrem Garten,

hoch oben in der Dachrinne über allen
Stockwerken.

Die Rosen blühten in diesem Sommer
ganz wundervoll; das kleine Mädchen hatte
ein Lied gelernt, und darin kam etwas von
Rosen vor, und bei den Rosen dachte sie
an ihre eignen; und sie sang es dem kleinen
Knaben vor, und der sang mit:

»Im Tal blühen die Rosen so schön,
Wir werden das Christkindlein sehn!«

Und die Kleinen hielten einander bei den
Händen, küßten die Rosen und sahen in
Gottes hellen Sonnenschein hinein und sprachen zu ihm, als wenn das Jesuskind dort
wäre. Was waren das für herrliche Sommer-
tage, wie schön war es, da draußen zwischen
den frischen Rosenstöcken zu sitzen, die
so aussahen, als wollten sie nie aufhören zu
blühen.

Kay und Gerda saßen da und besahen ein

Bilderbuch mit Tieren und Vögeln, da sagte Kay – die Uhr an dem großen Kirchturm schlug gerade fünf –: »Au! Es stach mich ins Herz! Und eben flog mir etwas ins Auge!«

Das kleine Mädchen schlang ihren Arm um seinen Hals; er blinzelte mit den Augen: nein, da war nichts zu sehen.

»Ich glaube, es ist weg!« sagte er, aber es war nicht weg. Es war gerade so einer von diesen Glassplittern, die vom Spiegel abgesprungen waren, von dem Zauberspiegel, wir wissen ja noch, von dem häßlichen Glas, das alles Große und Schöne, das sich darin abspiegelte, klein und häßlich machte, während das Böse und Schlechte ordentlich hervortrat und jeder Fehler an einer Sache gleich zu erkennen war. Der arme Kay! Er hatte auch einen Splitter gerade ins Herz hinein bekommen. Das wird nun bald wie ein Eisklumpen werden. Jetzt tat es nicht mehr weh, aber der Glassplitter war da.

»Warum weinst du?« fragte er. »So siehst

du häßlich aus! Mir fehlt ja gar nichts! Pfui!«
rief er auf einmal, »die Rose da ist von einem
Wurm angenagt! Und sieh doch, die da ist
ja ganz schief! Es sind im Grunde ekelhafte
Rosen! Genau so wie die Kasten, in denen
sie stehen!« Und dann stieß er mit dem Fuß
gegen den Kasten und riß die beiden Rosen
ab.

»Kay, was machst du?« rief das kleine
Mädchen, und als er ihren Schrecken sah, riß
er noch eine Rose ab und lief dann in sein
Fenster hinein, von der kleinen, guten Gerda
weg.

Wenn sie später mit dem Bilderbuch kam,
sagte er, das sei für Wickelkinder; und wenn
die Großmutter Geschichten erzählte, kam
er immer mit einem Aber – ja, wenn er dazu-
gelangen konnte, ging er hinter ihr her,
setzte eine Brille auf und sprach so wie sie;
er machte das sehr treffend, und alle Leute
lachten über ihn. Bald konnte er so gehen und so sprechen wie alle Menschen in

der ganzen Straße. Alles, was eigentüm-
lich an ihnen war und unschön, das wußte
Kay nachzumachen, und dann sagten die
Leute: »Der Junge hat sicher einen ausge-
zeichneten Kopf!« Aber es war das Glas, das
er ins Auge bekommen hatte, das Glas,
das im Herzen saß, deshalb neckte er selbst
die kleine Gerda, die ihm von ganzem
Herzen zugetan war.

Seine Spiele wurden nun ganz anders
als bisher, sie waren so verständig. –An einem
Wintertage, als die Schneeflocken stoben,
kam er mit einem großen Brennglas, breitete
seinen blauen Rockzipfel aus und ließ die
Schneeflocken darauffallen.

»Sieh nun in das Glas, Gerda!« sagte er,
und jede Schneeflocke wurde viel größer
und sah aus wie eine prächtige Blume oder
ein zehneckiger Stern; das war wunder-
hübsch anzusehen.

»Siehst du, wie künstlich!« sagte Kay,
»das ist weit interessanter als die wirklichen

Blumen! Und an diesen ist auch nicht ein einziger Fehler, sie sind ganz vollkommen, wenn sie nur nicht schmölzen!«

Nach einer Weile kam Kay mit großen Handschuhen und seinem Schlitten auf dem Rücken; er schrie Gerda in die Ohren hinein: »Ich habe Erlaubnis bekommen, auf dem großen Platz zu fahren, wo die andern spielen!« und fort war er.

Dort auf dem Platz banden die kühnsten Knaben oft ihren Schlitten an den Wagen eines Bauern, und dann fuhren sie ein gutes Stück mit. Das ging gar lustig zu. Als sie im besten Spielen waren, kam ein großer Schlitten daher; der war ganz weiß angestrichen, und darin saß jemand, in einen rauhen, weißen Pelz gehüllt und mit weißer Pelzmütze; der Schlitten fuhr zweimal um den Platz herum, und Kay band geschwind seinen kleinen Schlitten daran fest, und dann fuhr er mit. Es ging schneller und schneller, geradewegs in die nächste Straße hinein; die

Person, die fuhr, drehte den Kopf herum, nickte Kay so freundlich zu, es war, als kennten sie einander; jedesmal, wenn Kay seinen Schlitten losbinden wollte, nickte die Person wieder, und dann blieb Kay sitzen; sie fuhren gerade zum Stadttor hinaus. Da begann der Schnee so herniederzufallen, daß der Kleine nicht die Hand vor den Augen sehen konnte, während er dahinsauste; da ließ er endlich die Schnur fahren, um von dem großen Schlitten loszukommen, aber sein kleines Fuhrwerk hing fest, und es ging mit Windeseile vorwärts. Da rief er ganz laut, aber niemand hörte ihn, und der Schnee stob, und der Schlitten flog dahin; zuweilen machte er einen Sprung, es war, als führe er über Gräben und Zäune. Kay war ganz erschrocken, er wollte sein Vaterunser beten, aber er konnte sich nur des großen Einmaleins entsinnen.

Die Schneeflocken wurden größer und größer, zuletzt sahen sie aus wie zwei große, weiße Hühner; auf einmal sprangen sie zur Seite, der große Schlitten hielt, und die Person, die ihn gefahren hatte, richtete sich auf, der Pelz und die Mütze waren aus lauter Schnee; es war eine Dame, groß und schlank und schimmerndweiß, es war die Schneekönigin.

»Wir sind gut vorwärts gekommen!« sagte sie, »aber wer wird wohl frieren? Kriech in meinen Bärenpelz hinein!« Und sie setzte ihn neben sich in den Schlitten und schlug den Pelz um ihn, es war, als versänke er in einer Schneewehe.

»Friert dich noch?« fragte sie, und dann küßte sie ihn auf die Stirn. Hu! das war kälter als Eis, es ging ihm gerade bis ins Herz hinein, das ja doch schon halb ein Eisklumpen war; es war, als sollte er sterben; aber nur einen Augenblick, dann tat es ihm wohl; er spürte die Kälte ringsumher nicht mehr.

»Mein Schlitten! Vergiß meinen Schlitten nicht!« das war das erste, woran er dachte; und der wurde an eins der weißen Hühner festgebunden, und das flog hinterdrein mit dem Schlitten auf dem Rücken. Die Schneekönigin küßte Kay noch einmal, und da hatte er die kleine Gerda und die Großmutter und alle daheim vergessen.

»Jetzt bekommst du keine Küsse mehr«, sagte sie, »denn sonst küsse ich dich tot!«

Kay sah sie an; sie war sehr schön; ein klügeres, schöneres Gesicht konnte er sich nicht denken; nun erschien sie ihm nicht mehr von Eis wie damals, als sie draußen vor dem Fenster saß und ihm winkte; in seinen Augen war sie vollkommen, er hatte gar keine Angst, er erzählte ihr, daß er kopfrechnen könne, und zwar mit Brüchen, daß er die Quadratmeilen des Landes wisse und »wie viele Einwohner« es habe, und sie lächelte beständig; da meinte er, es sei doch nicht genug, was er wisse, und er sah in den großen, großen Luftraum hinaus, und sie flog mit ihm, flog hoch oben über der schwarzen

Wolke, und der Sturm sauste und brauste, es war, als sänge er alte Melodien. Sie flogen über Wälder und Seen, über Gärten und Länder; tief unter ihnen sauste der kalte Wind, die Wölfe heulten, der Schnee glitzerte, die schwarzen, schreienden Krähen flogen darüber hin, aber hoch oben schien der Mond so hell, und den sah Kay die lange, lange Winternacht an; am Tage aber schlief er zu den Füßen der Schneekönigin.

Dritte Geschichte
Der Blumengarten bei der Frau,
die zaubern konnte

Was aber machte die kleine Gerda, als Kay nicht mehr kam? Wo war er nur geblieben? – Niemand wußte es, niemand konnte Bescheid geben. Die andern Knaben erzählten nur, sie hätten gesehen, wie er seinen Schlitten an einen mächtig großen gebunden habe, der in die Straße hinein- und zum Stadttor hinausgefahren war. Niemand wußte, wo er war; viele Tränen flossen, die kleine Gerda weinte heiß und lange. – Dann dachte sie, er sei tot, er sei in den Fluß gefallen, der dicht an der Stadt vorüberfloß; ach, es waren gar lange, dunkle Wintertage! Dann kam der Frühling mit wärmerem Sonnenschein.

»Kay ist tot und fort«, sagte die kleine Gerda. »Das glaube ich nicht!« sagte der Sonnenschein. »Er ist tot und fort!« sagte sie zu den Schwalben. »Das glaube ich nicht!« antworteten die, und schließlich glaubte die kleine Gerda es auch nicht mehr.

»Ich will meine neuen, roten Schuhe anziehen«, sagte sie eines Morgens, »die Kay noch nie gesehen hat, und dann will ich an den Fluß hinabgehen und den fragen!«

Und es war noch ganz früh; sie küßte die alte Großmutter, die noch schlief, zog die roten Schuhe an und ging ganz allein zum Tore hinaus nach dem Fluß hinab.

»Ist es wahr, daß du mir meinen kleinen Spielgefährten weggenommen hast? Ich will dir meine roten Schuhe schenken, wenn du mir ihn wiedergeben willst!«

Und die Wellen, so schien es ihr, nickten so sonderbar; da nahm sie ihre roten Schuhe, das Liebste, was sie hatte, und warf sie alle beide in den Fluß hinein; aber sie fielen ganz dicht am Ufer nieder, und die kleinen Wellen trugen sie gleich wieder zu ihr ans Land,

es war, als wolle der Fluß das Liebste, was
sie besaß, nicht nehmen, da er den kleinen
Kay ja nicht hatte; aber sie glaubte, daß
sie die Schuhe nicht weit genug hinausge-
worfen hätte, und da kroch sie denn in
ein Boot, das im Röhricht lag, sie ging ganz
an das äußerste Ende und warf die Schuhe
ins Wasser; aber das Boot war nicht festgebunden, und bei der Bewegung, die sie
machte, glitt es vom Lande ab; sie bemerk-
te es und beeilte sich, herauszukommen,
aber ehe sie noch zurückkletterte, war das
Boot über eine Elle vom Ufer entfernt,
und nun glitt es schneller von dannen.

Da erschrak die kleine Gerda sehr und
fing an zu weinen, aber es hörte sie niemand
außer den Spatzen, und die konnten sie nicht
ans Land tragen, aber sie flogen am Ufer
entlang und sangen, als wollten sie sie trö-
sten: »Hier sind wir! Hier sind wir!« Das
Boot trieb mit dem Strom; die kleine Gerda
saß ganz still in ihren Strümpfen da; die

kleinen, roten Schuhe schwammen hinterdrein, aber sie konnten das Boot nicht erreichen, das trieb immer schneller.

Hübsch war es an beiden Ufern, schöne Blumen, alte Bäume und Abhänge mit Schafen und Kühen, aber nirgends war ein Mensch zu sehen.

»Vielleicht trägt mich der Fluß zu dem kleinen Kay hin«, dachte Gerda, und dann war sie nicht mehr so traurig, sie richtete sich auf und sah viele Stunden lang die grünen Ufer an; dann kam sie an einen großen Kirschengarten, in dem ein kleines Haus mit wunderlichen roten und blauen Fenstern lag, übrigens mit einem Strohdach und zwei hölzernen Soldaten davor, die vor den Vorübergehenden das Gewehr schulterten.

Gerda rief sie an; sie glaubte, sie seien lebendig, aber sie antworteten natürlich nicht, sie kam ihnen ganz nahe, der Fluß trieb das Boot gerade auf das Ufer zu.

Gerda rief noch lauter, und da kam eine

alte, alte Frau aus dem Hause heraus, die sich auf einen Krückstock stützte; sie hatte einen großen Schutzhut auf, und der war mit den schönsten Blumen bemalt.

»Du armes, kleines Kind!« sagte die alte Frau; »wie bist du nur auf den großen, reißenden Strom gekommen und so weit in die Welt hinausgetrieben?« Und dann ging die alte Frau ganz in das Wasser hinein, erfaßte mit ihrem Krückstock das Boot, zog es ans Land und hob die kleine Gerda heraus.

Und Gerda war froh, wieder auf das Trokkene zu gelangen, aber sie fürchtete sich doch ein wenig vor der fremden, alten Frau.

»Komm doch und erzähle mir, wer du bist und wie du hierherkommst!« sagte sie.

Und Gerda erzählte ihr alles; und die Alte schüttelte den Kopf und sagte: »Hm! hm!« Und als Gerda ihr alles gesagt und sie gefragt hatte, ob sie nicht den kleinen Kay gesehen hätte, sagte die Frau, er sei nicht vorbeigekommen, aber er würde schon kommen, sie sollte nur nicht traurig sein, sondern ihre Kirschen kosten und ihre Blumen besehen, die seien schöner als irgendein Bilderbuch, die könnten jede eine ganze Geschichte erzählen. Dann nahm sie Gerda bei der Hand, sie gingen in das kleine Haus, und die alte Frau schloß die Tür zu.

Die Fenster saßen ganz hoch oben, und die Scheiben waren rot, blau und gelb; das Tageslicht schien so wunderlich dahinein in allen Farben, aber auf dem Tisch standen die schönsten Kirschen, und Gerda aß so viele, wie sie nur wollte, dann das durfte sie. Und während sie aß, kämmte ihr die alte Frau das Haar mit einem goldenen Kamm, und das Haar lockte sich und umschimmerte so herrlich goldblond das kleine, freundliche Gesicht, das so rund war und wie eine Rose aussah.

»Nach so einem süßen kleinen Mädchen habe ich mich schon lange gesehnt«, sagte die

Alte. »Nun sollst du einmal sehen, wie gut
wir uns vertragen werden!« Und während sie
das Haar der kleinen Gerda kämmte, ver-
gaß diese ihren Pflegebruder Kay mehr und
mehr; denn die alte Frau konnte zaubern,
aber eine böse Hexe war sie nicht, sie zauberte
nur ein klein wenig zu ihrem eigenen Vergnügen, und sie wollte die kleine Gerda so
gern behalten. Darum ging sie in den Garten
hinaus und streckte ihren Krückstock nach
allen Rosenstöcken aus: wie schön sie auch
blühten, sanken sie doch alle in die schwarze
Erde hinab, und man konnte nicht sehen,
wo sie gestanden hatten. Der Alten war
bange, daß, wenn Gerda die Rosen sähe, sie
an ihre eigenen denken und sich dann
des kleinen Kay erinnern und davonlaufen
würde.

Dann führte sie Gerda in den Blumengar-
ten hinaus. – Nein! war das ein Duft und eine
Herrlichkeit! Alle nur denkbaren Blumen,
und zwar für jede Jahreszeit, standen hier in

der prächtigsten Blüte; kein Bilderbuch konnte bunter und schöner sein. Gerda hüpfte vor Freude und spielte, bis die Sonne hinter den hohen Kirschbäumen unterging; dann bekam sie ein schönes Bett mit roten, seidenen Kissen, die waren mit blauen Veilchen gestopft, und sie schlief und träumte da so herrlich wie eine Königin an ihrem Hochzeitstag.

Am nächsten Tage konnte sie wieder mit den Blumen im warmen Sonnenschein spielen – so vergingen viele Tage. Gerda kannte jede Blume, aber wie viele auch da waren, so fand sie doch, daß da eine fehlte, aber welche, das wußte sie nicht. Da saß sie eines Tages und betrachtete den Schutzhut der alten Frau mit den gemalten Blumen, aber gerade die allerschönste darunter war eine Rose. Die Alte hatte vergessen, sie vom Hut zu entfernen, als sie die andern in die Erde bannte. Aber so geht es, wenn man die Gedanken nicht beisammen hat. – »Was!« sagte Gerda, »sind

hier denn keine Rosen?« Und sie sprang zwischen die Beete, suchte und suchte, aber da war keine zu finden; da setzte sie sich hin und weinte, aber ihre heißen Tränen fielen gerade auf die Stelle, wo ein Rosenbaum versunken war, und als die warmen Tränen die Erde netzten, schoß der Baum auf einmal empor, so blühend, wie er versunken war, und Gerda umarmte ihn, küßte die Rosen, und dann mußte sie an die schönen Rosen daheim denken und mit ihnen auch an den kleinen Kay und sein Davonlaufen.

»O, wie bin ich doch aufgehalten worden!« sagte das kleine Mädchen. »Ich wollte Kay ja suchen! – Wißt ihr nicht, wo er ist?« fragte sie die Rosen. »Glaubt ihr, daß er tot und fort ist?«

»Tot ist er nicht«, sagten die Rosen. »Wir sind ja in der Erde gewesen, da sind alle die Toten, aber Kay war nicht da.«

»Habt vielen Dank!« sagte die kleine Gerda, und sie ging zu den andern Blumen hin, sah in ihre Kelche hinein und fragte: »Wißt ihr nicht, wo der kleine Kay ist?«

Aber jede Blume stand in der Sonne und träumte ihr eignes Märchen oder ihre Geschichte, davon bekam die kleine Gerda so viele, viele zu hören, aber keine wußte etwas von Kay.

Und was sagte denn die Feuerlilie?

»Hörst du die Trommel: bum! bum! Es sind nur zwei Töne, immer bum! bum! Höre der Frauen Trauergesang, höre der Priester Ruf! – In ihrem langen, roten Gewand steht das Hinduweib auf dem Scheiterhaufen, die Flammen lodern um sie und ihren toten Mann empor; aber das Hinduweib denkt an den Lebenden hier im Kreise, an ihn, dessen Augen heißer brennen als die Flammen, an ihn, dessen Feuer ihr Herz heißer berührt als die Flammen, die bald ihren Leib zu Asche sengen. Kann die Flamme des Herzens in den Flammen des Scheiterhaufens sterben?«

»Das verstehe ich gar nicht!« sagte die kleine Gerda.

»Das ist ein Märchen!« sagte die Feuerlilie.

Was sagte die Winde?

»Über den schmalen Gebirgspfad hinaus hängt eine alte Ritterburg. Dichtes Immergrün wächst an den alten, roten Mauern empor; Blatt an Blatt umrankt den Altan, und dort steht ein schönes Mädchen, sie beugt sich über das Gitterwerk und sieht den Weg hinab. Keine Rose hängt frischer am Zweige als sie; keine Apfelblüte, wenn sie der Wind dem Baume entführt, schwebt leichter als sie; wie rauscht das prächtige, seidene Gewand! ›Kommt er denn nicht?‹«

»Meinst du Kay?« fragte die kleine Gerda.

»Ich spreche nur von meinem Märchen, meinem Traum«, antwortete die Winde.

Was sagte das kleine Schneeglöckchen?

»Zwischen den Bäumen hängt an Seilen das lange Brett; das ist eine Schaukel; zwei niedliche, kleine Mädchen – die Kleider sind

weiß wie Schnee, lange, grüne seidene Bän-
der flattern von den Hüten – sitzen und
schaukeln sich; der Bruder, der größer ist als
sie, steht aufrecht in der Schaukel; er hat
den Arm um das Seil geschlungen, um sich
zu halten, denn in der einen Hand hält er
eine kleine Schale, in der andern eine Ton-
pfeife, er macht Seifenblasen; die Schaukel geht, und die Seifenblasen fliegen mit
wunderbar wechselnden Farben; die letzte
hängt noch am Pfeifenstiel und biegt sich
im Winde; die Schaukel geht; der kleine,
schwarze Hund, leicht wie die Seifenblasen,
richtet sich auf den Hinterbeinen auf und
will mit in die Schaukel hinein; sie fliegt,
der Hund fällt, bellt und ist wütend; er wird
geneckt, die Blasen zerspringen – ein schau-
kelndes Brett, ein zerspringendes Schaum-
bild ist mein Lied!«

»Es mag schon sein, daß es hübsch ist,
was du da erzählst; aber du sagst es so traurig
und erwähnst Kay gar nicht.«

Was sagten die Hyazinthen?

»Es waren einmal drei wunderschöne Schwestern, so durchsichtig und fein; das Kleid der einen war rot, das der andern war blau, und die dritte hatte ein ganz weißes; Hand in Hand tanzten sie an dem stillen See im hellen Mondschein. Es waren keine Elfen, es waren Menschenkinder. Es duftete so süß, und die Mädchen verschwanden im Walde; der Duft wurde stärker; − drei Särge, darin lagen die schönen Mädchen, glitten aus dem Dickicht des Waldes über den See hin; Johanniswürmchen flogen schimmernd ringsumher wie kleine, schwebende Lichter. Schlafen die tanzenden Mädchen, oder sind sie tot? − Der Blumenduft sagt, sie sind Leichen; die Abendglocke läutet ihnen den Grabgesang!«

»Du machst mich ganz traurig!« sagte die kleine Gerda. »Du duftest so stark, ich muß an die toten Mädchen denken: ach, ist der kleine Kay denn wirklich tot? Die Rosen sind unten in der Erde gewesen, und die sagen nein!«

»Kling, klang!« läuteten die Hyazinthenglocken. »Wir läuten nicht für den kleinen Kay, den kennen wir nicht! Wir singen nur unser Lied, das einzige, das wir kennen.«

Und Gerda ging zur Butterblume hin, die zwischen den glänzenden, grünen Blättern hervorschimmerte.

»Du bist eine kleine, helle Sonne!« sagte Gerda. »Sage mir, ob du weißt, wo ich meinen Spielgefährten finden kann.«

Und die Butterblume schien so schön und sah Gerda wieder an. Welches Lied konnte die Butterblume wohl singen? Von Kay handelte es auch nicht.

»In einem kleinen Hof schien die liebe Gottessonne an dem ersten Frühlingstag so warm; die Strahlen glitten an der weißen Wand des Nachbars herab, dich daran wuchsen die ersten gelben Blumen, schimmerndes Gold in den warmen Sonnenstrahlen; die alte Großmutter saß draußen in ihrem Stuhl, die Enkelin, das arme, schöne Dienstmädchen, kam nach Hause auf einen kurzen Besuch; sie küßte die Großmutter. Es war Gold, Herzensgold in dem liebevollen Kuß! Gold auf dem Munde, Gold auf dem Grunde, Gold in der Morgenstunde! Sieh, das ist meine kleine Geschichte!« sagte die Butterblume.

»Meine arme alte Großmutter!« seufzte Gerda. »Ja, sie sehnt sich gewiß nach mir und grämt sich um mich sowie um den kleinen Kay. Aber ich kehre bald wieder heim, und dann bringe ich Kay mit. – Es nützt nichts, daß ich die Blumen frage, die kennen nur ihr eignes Lied, die sagen mir nicht Bescheid!« Und dann schürzte sie ihr kleines Kleid, damit sie schneller laufen könne; aber die Narzisse schlug sie über das Bein, als sie über sie hinwegsprang; da blieb sie stehen, sah die lange Blume an und fragte: »Weißt du am Ende was?« Und sie beugte sich zu ihr hinab. Und was sagte die?

»Ich kann mich selbst sehen! Ich kann mich selbst sehen!« sagte die Narzisse. »O, o, wie ich dufte! – Oben in dem kleinen Mansardenstübchen steht halb angekleidet eine kleine Tänzerin, sie steht bald auf einem Bein, bald auf zweien, sie tritt die ganze Welt mit Füßen, sie ist nichts als Augenverblendung. Sie gießt Wasser aus dem Teekessel auf ein Kleidungsstück, das sie in der Hand hält; das ist ihr Schnürleib; – Reinlichkeit ist eine schöne Sache! Das weiße Kleid hängt am Haken, das ist auch im Teekessel gewaschen und auf dem Dach getrocknet! Das zieht sie an, das safrangelbe Tuch um den Hals, dann schimmert das Kleid noch weißer. Das Bein in die Höhe! Sieh, wie aufrecht sie auf einem Stengel steht! Ich kann mich selbst sehen! Ich kann mich selbst sehen!«

»Das ist mir ganz einerlei!« sagte Gerda, »das brauchst du mir gar nicht zu erzählen!« Und dann lief sie an das äußerste Ende des Gartens.

Die Tür war verschlossen, aber sie rüttelte an dem verrosteten Riegel, bis er losging und die Tür aufsprang, und dann lief die kleine Gerda auf bloßen Füßen in die weite Welt hinaus. Sie sah sich dreimal um, aber niemand kam hinter ihr drein; schließlich konnte sie nicht mehr laufen, da setzte sie sich auf einen großen Stein, und als sie sich umsah, war der Sommer vorüber, es war Spätherbst, das konnte man gar nicht merken da drinnen in dem großen Garten, wo alles Sonnenschein war und wo immer die Blumen aller Jahreszeiten blühten.

»Lieber Gott, wie habe ich mich verspätet!« sagte die kleine Gerda. »Es ist ja Herbst geworden! Da darf ich nicht ruhen!« Und sie stand auf, um zu gehen.

O, wie waren ihre kleinen Füße wund und müde, und ringsumher sah es kalt und rauh aus; die langen Weidenblätter waren ganz gelb, und der Nebel tropfte als Wasser von ihnen herab, ein Blatt nach dem andern

fiel ab, nur der Schlehdorn stand voller
Früchte da, so herben, sie zogen den Mund
zusammen. O, wie war es so grau und schwer
in der weiten Welt!

Vierte Geschichte
Prinz und Prinzessin

Gerda mußte wieder ausruhen! da hüpfte dort auf dem Schnee, dem Platz, auf dem sie saß, gerade gegenüber, eine große Krähe; sie hatte stillgesessen, sie angesehen und mit dem Kopfe gewackelt; nun sagte sie: »Kra! Kra! – Gu' Tag! Gu' Tag!« Besser konnte sie es nicht sagen, aber sie meinte es so gut mit dem kleinen Mädchen und fragte, wohin sie so allein in die weite Welt hinausginge. Das Wort ›allein‹ verstand Gerda sehr wohl und fühlte so recht, wieviel darin lag, und dann erzählte sie der Krähe ihr ganzes Leben und ihre Erlebnisse und fragte, ob sie Kay nicht gesehen hätte.

Und die Krähe nickte ganz bedächtig und sagte: »Das könnte wohl sein! Das könnte wohl sein!«

»Wie? Meinst du wirklich?« fragte das kleine Mädchen und hätte beinahe die Krähe totgedrückt, so küßte sie sie.

»Ruhig! ruhig!« sagte die Krähe. »Ich glaube, es könnte wohl der kleine Kay sein! Aber nun hat er dich gewiß längst über der Prinzessin vergessen!«

»Wohnt er bei einer Prinzessin?« fragte Gerda.

»Ja, höre!« sagte die Krähe. »Aber es wird mir so schwer, deine Sprache zu reden. Verstehst du die Krähensprache? Dann kann ich besser erzählen.«

»Nein, die habe ich nicht gelernt!« sagte Gerda, »aber die Großmutter konnte sie, und die Erbsensprache* auch. Hätte ich sie nur gelernt!«

»Tut nichts!« sagte die Krähe. »Ich werde erzählen, so gut ich kann, aber schlecht wird

* Ein bei den Kindern übliches, durch Hinzufügen von Silben und Buchstaben an jedes Wort entstehendes Kauderwelsch.

es darum doch.« Und dann erzählte sie, was sie wußte.

»In dem Königreich, in dem wir jetzt sitzen, wohnt eine Prinzessin, die ist so ungeheuer klug, aber sie hat auch alle Zeitungen gelesen, die es auf der ganzen Welt gibt, und sie wieder vergessen, so klug ist sie. Neulich sitzt sie auf dem Thron, und das ist gar nicht so ergötzlich, sagt man, da fängt sie an, ein Lied zu singen, und zwar das: ›Warum sollt ich mich denn nicht vermählen?‹ – ›Wahrhaftig‹, sagt sie, ›darin ist ja Sinn und Verstand!‹ Und nun wollte sie sich verheiraten, aber sie wollte einen Mann haben, der zu antworten verstand, wenn man mit ihm sprach, der nicht nur dastand und vornehm aussah, denn das ist so langweilig. Nun ließ sie alle Hofdamen zusammentrommeln, und als sie hörten, was sie wollte, wurden sie sehr vergnügt. ›Das gefällt mir ausnehmend!‹ sagten sie, ›das habe ich neulich auch schon gedacht!‹ – – Du kannst mir glauben, jedes Wort, das ich sage, ist wahr!« sagte die Krähe. »Ich habe eine zahme Braut, die geht frei im Schloß umher, und die hat mir alles erzählt!«

Seine Braut war natürlich auch eine Krähe, denn Art läßt nicht von Art.

»Die Zeitungen erschienen sogleich mit einer Umrandung aus Herzen und dem Namenszug der Prinzessin; da konnte man lesen, daß es jedem jungen Manne, der gut aussähe, freistände, aufs Schloß zu kommen und mit der Prinzessin zu reden, und der, der so spräche, daß man hören könnte, daß er in dem, was er sagte, zu Hause wäre, und der am besten spräche, den wollte die Prinzessin zum Manne nehmen. – Ja, ja«, sagte die Krähe, »du kannst mir glauben, das ist so gewiß, wie ich hier sitze; die Leute strömten herbei, das war ein Gedränge und ein Gelaufe, aber es glückte keinem weder am ersten noch am zweiten Tage. Sie konnten alle zusammen gut sprechen,

wenn sie draußen auf der Straße waren, aber
wenn sie zum Schloßtor hereinkamen und
die Garde in Silber sahen und auf den Treppen die Lakaien in Gold und die großen,
erleuchteten Säle, dann wurden sie ganz
verwirrt; und standen sie vor dem Thron, auf
dem die Prinzessin saß, wußten sie nichts
weiter zu sagen als das letzte Wort, was
sie gesagt hatte, und sie machte sich nichts
daraus, das noch einmal zu hören. Es war, als
wenn sie alle dadrinnen Schnupftabak
auf den Magen bekommen hätten und einge-
schlummert wären, bis sie wieder auf die
Straße hinauskamen, ja, dann konnten sie reden! Da stand eine Reihe vom Stadttor bis
zum Schlosse hin. Ich war selbst drinnen, um
es zu sehen!« sagte die Krähe. »Sie wurden
hungrig und durstig, aber im Schlosse
bekamen sie nicht einmal ein Glas lauwar-
mes Wasser. Freilich hatten einige von
den Klügsten Butterbrot mitgenommen, aber
sie teilten nicht mit ihrem Nachbarn; sie

dachten auch: ›Laß ihn nur hungrig aussehen, dann nimmt die Prinzessin ihn nicht!‹«

»Aber Kay, der kleine Kay?!« fragte
Gerda. »Wann kam der denn? War er unter
den vielen?«

»Immer ruhig, ruhig! Nun kommen wir
gleich zu ihm! Es war am dritten Tage,
da kam ein kleiner Bursche ohne Pferd
und Wagen ganz unbefangen gerade auf
das Schloß zu marschiert; seine Augen
glänzten ganz so wie die deinen, er hatte
wunderschönes, langes Haar, aber sonst
ärmliche Kleider.«

»Das war Kay!« jubelte Gerda. »Ach, nun
habe ich ihn gefunden!« Und sie klatschte
in die Hände.

»Er hatte einen kleinen Ranzen auf dem
Rücken«, sagte die Krähe.

»Nein, das war wohl sein Schlitten!« sagte
Gerda. »Denn mit dem Schlitten ging er
weg!«

»Das kann wohl sein!« sagte die Krähe,

»so genau habe ich nicht hingesehen! Aber
das weiß ich von meiner zahmen Braut, daß
er, als er durch das Schloßtor kam und die
Leibgarde in Silber und auf den Treppen die
Lakaien in Gold sah, nicht im geringsten
verwirrt wurde, er nickte ihnen zu und sagte:
›Es muß langweilig sein, auf der Treppe zu
stehen, ich gehe lieber hinein.‹ Da schim-
merten Säle von Lichtern, Geheimräte und
Exzellenzen gingen auf bloßen Füßen und
trugen goldene Schüsseln; einem konnte
wohl feierlich zumute werden! Seine Stiefel
knarrten so schrecklich, aber bange wurde
ihm darum doch nicht!«

»Das ist ganz gewiß Kay!« sagte Gerda.
»Ich weiß, er hatte neue Stiefel an, ich habe
sie in Großmutters Stube knarren hören!«

»Ja, knarren taten sie!« sagte die Krähe.
»Und ganz unbefangen ging er gerade
auf die Prinzessin zu, die auf einer Perle
saß, die so groß war wie ein Spinnrad; und
alle Hofdamen mit ihren Zofen und den

Zofen ihrer Zofen und alle Kavaliere mit ihren Dienern und den Dienern ihrer Diener, die wieder einen Burschen halten, standen ringsumher aufgestellt; und je näher sie nach der Tür zu standen, um so stolzer sahen sie aus. Den Burschen von des Dieners Diener, der immer in Pantoffeln geht, darf man kaum ansehen, so stolz steht er in der Tür!«

»Das muß gräßlich sein!« sagte die kleine Gerda. »Und Kay hat doch die Prinzessin gekriegt?«

»Wäre ich keine Krähe gewesen, so hätte ich sie genommen, und zwar obwohl ich verlobt bin. Er soll genausogut geredet haben, wie ich rede, wenn ich die Krähensprache spreche, das weiß ich von meiner zahmen Braut. Er war unbefangen und allerliebst, er war gar nicht gekommen, um zu freien, war einzig und allein gekommen, um die Klugheit der Prinzessin zu hören, und die fand er gut, und sie ihrerseits fand ihn gut.«

»Ja, ganz sicher, das war Kay!« sagte Gerda. »Er war so klug, er konnte kopfrechnen mit Brüchen! – Ach, willst du mich nicht im Schlosse einführen?«

»Ja, das ist leicht gesagt!« meinte die Krähe. »Aber wie machen wir das nur? Ich werde es mit meiner zahmen Braut bereden; sie kann uns gewiß raten; denn das will ich dir nur sagen, so ein kleines Mädchen wie du bekommt nie die Erlaubnis, ordnungsmäßig hineinzukommen.«

»Doch, die bekomme ich!« sagte Gerda. »Wenn Kay hört, daß ich hier bin, kommt er gleich und holt mich!«

»Erwarte mich dort an der Gitterpforte!« sagte die Krähe, wackelte mit dem Kopf und flog davon.

Erst als es dunkler Abend war, kam die Krähe wieder zurück. »Rar! rar!« sagte sie. »Ich soll dich vielmals von ihr grüßen, und hier ist ein Brötchen für dich, das hat sie in der Küche weggenommen, da ist

Brot genug, und du bist gewiß hungrig! –
Es ist ganz unmöglich, daß du ins Schloß
hineinkommst, du bist ja barfuß; die Garde
in Silber und die Lakaien in Gold würden
es nicht erlauben; aber weine nicht, du sollst
schon hinkommen. Meine Braut weiß
eine kleine Hintertreppe, die nach dem
Schlafgemach führt, und sie weiß, wo sie den
Schlüssel bekommen kann.«

Und sie gingen in den Garten hinein, in
die große Allee, wo ein Blatt nach dem
andern abfiel; und als im Schloß die Lichter ausgelöscht wurden eins nach dem
andern, führte die Krähe die kleine Gerda
an eine Hintertür, die angelehnt war.

O, wie Gerdas Herz vor Angst und Sehn-
sucht pochte! Es war geradeso, als ob sie
etwas Böses tun wollte, und sie wollte ja
doch nur wissen, ob es der kleine Kay wäre:
ja, er mußte es sein; sie dachte so lebhaft
an seine klugen Augen, sein langes Haar; sie
konnte ordentlich sehen, wie er lächelte

so wie damals, als sie daheim unter den Rosen saßen. Er würde sich gewiß freuen, wenn er sie sah und hörte, was für einen langen Weg sie um seinetwillen gegangen war, wenn er erfuhr, wie betrübt sie alle daheim gewesen waren, als er nicht wiederkam. O, das war eine Angst und eine Freude!

Nun waren sie auf der Treppe, da brannte eine kleine Lampe auf einem Schrank; mitten auf dem Fußboden stand die zahme Krähe und drehte den Kopf nach allen Seiten und betrachtete Gerda, die einen Knicks machte, so wie die Großmutter es sie gelehrt hatte.

»Mein Verlobter hat mir so viel Gutes von Ihnen erzählt, mein liebes, kleines Fräulein«, sagte die zahme Krähe. »Ihre Vita, wie man es nennt, ist auch sehr rührend! – Wollen Sie die Lampe nehmen, dann will ich vorangehen. Wir gehen hier geradeaus, denn da treffen wir niemand.«

»Mir scheint, da kommt jemand dicht hinter uns her«, sagte Gerda, und es sauste an ihr vorüber; es war, als wenn Schatten an der Wand entlangglitten, Pferde mit flatternden Mähnen und dünnen Beinen, Jägerburschen, Herren und Damen zu Pferd.

»Das sind nur Träume!« sagte die Krähe, »die kommen und holen die Gedanken der hohen Herrschaft zur Jagd ab, das ist gut, denn dann können Sie sie besser im Bett betrachten. Aber eins erwarte ich von Ihnen, wenn Sie zu Ehren und Würden gelangen, müssen Sie ein dankbares Herz zeigen.«

»Das ist doch ganz selbstverständlich!« sagte die Krähe aus dem Walde.

Nun kamen sie in den ersten Saal hinein, der war aus rosenrotem Atlas mit künstlichen Blumen an den Wänden; hier sausten schon die Träume an ihnen vorüber, aber sie flogen so schnell, daß Gerda die hohen Herrschaften nicht zu sehen bekam. Ein Saal war immer prächtiger als der andre; ja, man konnte wohl staunen! Und nun waren sie im Schlafgemach. Die Decke hier drinnen glich einer großen Palme mit Blättern aus Glas, kostbarem Glas, und mitten im Zimmer hingen an einem dicken Stengel aus Gold zwei Betten, von denen jedes aussah wie eine Lilie: die eine war weiß, darin lag die Prinzessin; die andere war rot, und darin sollte Gerda den kleinen Kay suchen; sie bog eins der roten Blätter zurück, und da sah sie einen braunen Nacken. Ja, das war Kay! – Sie rief ganz laut seinen Namen, hielt die Lampe dicht an ihn heran – die Träume sausten zu Pferd wieder in die Stube herein – er erwachte, wandte den Kopf um, und – – es war nicht der kleine Kay.

Der Prinz sah ihm nur im Nacken ähnlich, aber jung und schön war er. Und aus dem weißen Lilienbett guckte die Prinzessin heraus und fragte, was da los sei. Da weinte die kleine Gerda und erzählte ihre Geschichte und alles, was die Krähen für sie getan hatten.

»Die arme Kleine!« sagten der Prinz und die Prinzessin, und sie lobten die Krähen und sagten, sie seien gar nicht böse auf sie, aber sie sollten es doch lieber nicht wieder tun. Diesmal sollten sie eine Belohnung haben.

»Wollt ihr frei umherfliegen?« fragte die Prinzessin, »oder wollt ihr eine feste Anstellung als Hofkrähen haben, mit allem, was in der Küche abfällt?«

Und beide Krähen machten einen tiefen Knicks und baten um feste Anstellung; denn sie dachten an ihr Alter und sagten: »Es ist so gut, etwas für seine alten Tage zu haben!« Wie sie es nannten.

Und der Prinz stand aus seinem Bett auf und ließ Gerda darin schlafen, und mehr konnte er wirklich nicht tun. Sie faltete ihre kleinen Hände und dachte: »Wie gut doch die Menschen und die Tiere sind«, und dann schloß sie ihre Augen und schlief so selig. Alle Träume kamen wieder hereingeflogen, und sie sahen aus wie Engel Gottes, und sie zogen einen kleinen Schlitten, und darauf saß Kay und nickte ihr zu; aber das Ganze war nur ein Traum, und darum war es auch wieder verschwunden, sobald sie erwachte.

Am nächsten Tag wurde sie von Kopf bis zu Fuß in Samt und Seide gekleidet; ihr wurde angeboten, auf dem Schlosse zu bleiben und gute Tage zu haben, aber sie bat nur um einen kleinen Wagen mit einem Pferd davor und um ein Paar kleine Stiefel, dann wollte sie wieder in die weite Welt hinausfahren und Kay suchen.

Und sie bekam Stiefel und Muff; sie wurde aufs niedlichste gekleidet, und als sie wegwollte, hielt eine neue Kutsche aus purem Golde vor der Tür; das Wappen des Prinzen und der Prinzessin leuchtete wie ein Stern daran; Kutscher, Diener und Vorreiter, denn Vorreiter waren auch da, saßen mit goldenen Kronen da. Der Prinz und die Prinzessin halfen ihr selbst in den Wagen und wünschten ihr alles Glück. Die Waldkrähe, die nun verheiratet war, begleitete sie die ersten drei Meilen; sie saß neben ihr, denn sie konnte das Rückwärtsfahren nicht vertragen; die andere Krähe stand in der Haustür und schlug mit den Flügeln, sie kam nicht mit, denn sie litt an Kopfschmerzen, seit sie die feste Anstellung hatte und so viel zu essen bekam. Inwendig war die Kutsche mit Zuckerkringeln gefüttert, und im Sitz waren Früchte und Pfeffernüsse.

»Leb wohl! Leb wohl!« riefen der Prinz und die Prinzessin, und die kleine Gerda weinte, und die Krähe weinte; – so ging es die ersten Meilen; dann sagte auch die Krähe Lebewohl, und das war der schwerste Abschied! Sie flog in einen Baum hinauf und schlug mit ihren schwarzen Flügeln, solange sie den Wagen sehen konnte, der wie der helle Sonnenschein glänzte.

Fünfte Geschichte
Das kleine Räubermädchen

Sie fuhren durch den dunklen Wald, aber die Kutsche leuchtete wie eine Fackel; das stach den Räubern in die Augen, das konnten sie nicht ertragen.

»Das ist Gold! Das ist Gold!« riefen sie, stürzten hervor, fielen den Pferden in den Zaum, schlugen die kleinen Jockeis, den Kutscher und den Diener tot und zogen die kleine Gerda aus dem Wagen. »Sie ist fett, sie ist niedlich, sie ist mit Nußkernen gefüttert!« sagte das alte Räuberweib, das einen langen, struppigen Bart hatte und Augenbrauen, die ihr über die Augen hinabhingen. »Ja, die ist so gut wie ein kleines fettes Lamm, ja, die soll schmecken!« Und dabei zog sie ihr blankes Messer heraus, und das blitzte, daß es gräßlich war.

»Au!« sagte die Alte auf einmal; ihre eigene kleine Tochter, die auf ihrem Rücken hing, so wild und unartig, daß es eine Lust war, hatte sie ins Ohr gebissen. »Du infamer Balg!« sagte die Mutter und hatte keine Zeit, Gerda zu schlachten.

»Sie soll mit mir spielen!« sagte das kleine Räubermädchen. »Sie soll mir ihren Muff und ihr schönes Kleid geben und soll bei mir im Bett schlafen!« Und dann biß sie wieder zu, so daß das Räuberweib in die Höhe sprang und sich rundherum drehte, und alle Räuber lachten und sagten: »Seht, wie sie mit ihrem Balg tanzt!«

»Ich will in die Kutsche hinein!« sagte das kleine Räubermädchen, und es wollte und mußte seinen Willen haben, denn es war so verhätschelt und so hartnäckig. Es setzte sich neben Gerda in den Wagen, und dann fuhren sie über Stock und Stein immer tiefer in den Wald hinein. Das kleine Räubermädchen war so groß wie Gerda, aber kräfti-

ger, breitschultriger und von dunklerer Haut. Die Augen waren ganz schwarz, sie sahen fast traurig aus. Sie schlang ihren Arm um die kleine Gerda und sagte: »Sie sollen dich nicht schlachten, solange ich nicht böse auf dich werde! Du bist wohl eine Prinzessin?«

»Nein«, sagte die kleine Gerda und erzählte ihr alles, was sie erlebt hatte und wie lieb sie den kleinen Kay hatte.

Das Räubermädchen sah sie ganz ernsthaft an, nickte ein klein wenig mit dem Kopf und sagte: »Sie sollen dich nicht schlachten, wenn ich auch böse auf dich werde; dann will ich es schon selbst tun!« Und dann trocknete sie Gerdas Augen und steckte die beiden Hände in den schönen Muff, der so weich und so warm war.

Nun hielt die Kutsche still; sie waren mitten auf dem Hofe eines alten Räuberschlosses, das war von oben bis unten geborsten, Raben und Krähen flogen aus den offenen Löchern heraus, und die großen Bullenbeißer, die beide so aussahen, als könnten sie einen Menschen verschlingen, sprangen hoch in die Höhe, aber sie bellten nicht, denn das war verboten.

In dem großen, alten, rußgeschwärzten Saal brannte mitten auf dem steinernen Fußboden ein großes Feuer; der Rauch zog unter der Decke hin und mußte sich selbst einen Ausweg suchen; ein großer Braukessel mit Suppe kochte, und Hasen und Kaninchen wurden an Spießen gedreht.

»Du sollst über Nacht mit allen meinen kleinen Tieren hier bei mir schlafen!« sagte das Räubermädchen. Sie bekamen zu essen und zu trinken und gingen dann in eine Ecke, wo Stroh und Teppiche lagen. Hoch oben über dem Lager saßen auf Latten und Stäben fast hundert Tauben, die alle zu schlafen schienen, sich aber ein klein wenig drehten, als die beiden kleinen Mädchen kamen.

»Sie gehören mir alle zusammen!« sagte das kleine Räubermädchen und ergriff schnell eine der zunächst sitzenden, sie hielt sie an den Beinen und schüttelte sie, so daß sie mit den Flügeln schlug. »Küsse sie!« rief sie und schlug Gerda mit dem Vogel ins Gesicht. »Da sitzen die Waldkanaillen!« fuhr sie fort und zeigte hinter eine Anzahl von Stäben, die vor ein Loch hoch oben in der Mauer geschlagen waren. »Das sind Waldkanaillen, die beiden! Die fliegen weg, sobald man sie nicht ordentlich verschlossen hält; und hier steht mein alter geliebter Bä!« Und sie zog ein Rentier am Horn hervor, es hatte einen blanken Kupferring um den Hals und war angebunden. »Den müssen wir auch in der Klemme halten, sonst läuft er uns auch weg. Jeden Abend kitzle ich ihn mit meinem scharfen Messer am Halse, davor fürchtet er sich so.« Und das kleine Mädchen zog ein langes Messer aus einem Spalt in der Mauer und ließ es über den Hals des Rentiers gleiten; das arme Tier schlug mit den Beinen hinten aus, und das Räubermädchen lachte und zog dann Gerda mit sich in das Bett hinein.

»Willst du das Messer bei dir behalten, wenn du schläfst?« fragte Gerda und sah ein wenig furchtsam danach hin.

»Ich schlafe immer mit einem Messer!« sagte das kleine Räubermädchen. »Man weiß nie, was kommen kann. Aber erzähle mir jetzt noch einmal, was du vorher von dem kleinen Kay erzähltest und warum du in die weite Welt hinausgegangen bist.« Und Gerda erzählte von vorne an, und die Waldtauben da oben im Bauer gurrten, die andern Tauben schliefen. Das kleine Räubermädchen schlang seinen Arm um Gerdas Hals, hielt das Messer in der andern Hand und schlief, so daß man es hören konnte; aber Gerda konnte ihre Augen gar nicht schließen, sie wußte nicht, ob sie leben oder sterben würde. Die Räuber saßen rings um das Feuer herum, sangen und tranken, und das Räuberweib schlug Purzelbäume. Es war ganz gräßlich für das kleine Mädchen, das mit anzusehen.

Da sagten die Waldtauben: »Gurre! Gurre! Wir haben den kleinen Kay gesehen. Ein weißes Huhn trug seinen Schlitten, er saß in der Schneekönigin Wagen, die dicht über dem Wald dahinflog, als wir in unserm Nest lagen; sie blies uns Jungen an, und außer uns beiden starben sie alle. Gurre! Gurre!«

»Was sagt ihr da oben?« rief Gerda. »Wo reiste die Schneekönigin hin? Wißt ihr etwas davon?«

»Sie ist wohl nach Lappland gereist, denn da ist immer Schnee und Eis! Frage du nur das Rentier, das an dem Strick angebunden steht.«

»Da ist Eis und Schnee, da ist es schön und gut!« sagte das Rentier; »da springt man frei umher in den großen, schimmernden Tälern! Da hat die Schneekönigin ihr

Sommerzelt, aber ihr festes Schloß ist oben nach dem Nordpol zu auf einer Insel, die Spitzbergen heißt!«

»Ach Kay, lieber Kay!« seufzte Gerda.

»Jetzt mußt du ganz still liegen!« sagte das Räubermädchen, »sonst jage ich dir das Messer in den Leib!«

Am Morgen erzählte ihr Gerda alles, was die Waldtauben gesagt hatten, und das kleine Räubermädchen sah ganz ernsthaft aus, nickte aber mit dem Kopf und sagte: »Das ist einerlei! Das ist einerlei! – Weißt du, wo Lappland liegt?« fragte sie das Rentier.

»Wer sollte das wohl besser wissen als ich«, sagte das Tier, und die Augen glänzten ihm im Kopf. »Da bin ich geboren und aufgewachsen, da bin ich auf den Schneefeldern herumgesprungen.«

»Höre einmal!« sagte das Räubermädchen zu Gerda. »Du siehst, daß alle unsere Mannsleute weg sind, aber Mutter ist noch hier, und die bleibt; aber späterhin am Morgen trinkt sie aus der großen Flasche und macht darauf ein Schläfchen; dann will ich etwas für dich tun!« Sie sprang aus dem Bett heraus, fiel der Mutter um den Hals, zupfte sie am Bart und sagte: »Mein herzensguter Ziegenbock, guten Morgen!« Und die Mutter gab ihr einen Nasenstüber, so daß die Nase rot und blau wurde, aber das geschah alles aus lauter Liebe.

Als die Mutter dann aus ihrer Flasche getrunken hatte und ein kleines Schläfchen machte, ging das Räubermädchen zu dem Rentier und sagte: »Ich hätte wohl schrecklich Lust, dich noch manch liebes Mal mit dem scharfen Messer zu kitzeln, denn dann bist du so possierlich, aber es hilft nichts, ich will deine Schnur lösen und dir hinaushelfen, damit du nach Lappland laufen kannst, aber du darfst deine Beine nicht schonen und mußt mir dies kleine Mädchen nach dem Schloß der Schneekönigin bringen, wo ihr Spielgefährte ist. Du hast wohl gehört, was sie erzählt hat, denn sie sprach laut genug, und du hast gehorcht!«

Das Rentier sprang hoch auf vor Freude. Das Räubermädchen hob die kleine Gerda hinauf und beobachtete die Vorsicht, sie festzubinden, ja sogar ein kleines Kissen gab sie ihr, auf dem sie sitzen sollte. »Es hilft nichts«, sagte sie, »da hast du deine Pelzstiefel wieder, denn es wird kalt, aber den Muff behalte ich, der ist zu niedlich! Aber frieren sollst du darum doch nicht. Hier hast du die großen Fausthandschuhe meiner Mutter, die reichen dir bis an den Ellbogen; krieche hinein! – Nun siehst du an den Händen geradeso aus wie meine greuliche Mutter!«

Und Gerda weinte vor Freude.

»Ich kann es nicht leiden, daß du heulst!« sagte das kleine Räubermädchen. »Jetzt solltest du doch gerade vergnügt aussehen! Und da hast du zwei Brote und einen Schinken, dann kannst du nicht hungern.«

Beides wurde hinten auf das Rentier gebunden; das kleine Räubermädchen öffnete die Tür, lockte all die großen Hunde herein, und dann schnitt es den Strick mit seinem Messer durch und sagte zu dem Rentier: »Nun lauf, aber gib gut acht auf das kleine Mädchen.«

Und Gerda streckte die Hände mit den großen Fausthandschuhen nach dem kleinen Räubermädchen aus und sagte Lebewohl, und dann flog das Rentier dahin über Stock und Stein, durch den großen Wald über Moore und Steppen, so schnell es nur konnte. Die Wölfe heulten, und die Raben krächzten. »Fut! Fut!« sagte es am Himmel. Es war, als niese es rot.

»Das sind meine alten Nordlichter!« sagte das Rentier, »sieh nur, wie sie leuchten!« Und dann lief es noch schneller von dannen Tag und Nacht; die Brote wurden verzehrt, der Schinken auch, und dann waren sie in Lappland.

Sechste Geschichte
Die Lappin und die Finnin

Bei einem kleinen Haus machten sie halt; es war höchst jammervoll; das Dach ging bis an die Erde hinunter, und die Tür war so niedrig, daß die Familie auf dem Bauche kriechen mußte, wenn sie heraus oder hinein wollte. Es war niemand zu Hause außer einer alten Lappin, die dastand und bei einer Tranlampe Fisch kochte; und das Rentier erzählte Gerdas ganze Geschichte, zuerst aber seine eigene, denn die, fand es, war weit wichtiger, und Gerda war so mitgenommen von der Kälte, daß sie gar nicht sprechen konnte.

»Ach, ihr Ärmsten!« sagte die Lappin, »da habt ihr noch weit zu laufen! Ihr müßt über hundert Meilen nach Finnmarken hinein, denn dort ist die Schneekönigin in der Som-

merfrische und brennt jeden Abend bengalische Flammen ab. Ich will ein paar Worte auf einen gedörrten Stockfisch schreiben, Papier habe ich nicht, die will ich euch für die Finnin da oben mitgeben, die kann euch bessern Bescheid sagen als ich!«

Und als Gerda nun erwärmt war und zu essen und zu trinken bekommen hatte, schrieb die Lappin ein paar Worte auf einen gedörrten Stockfisch, hieß Gerda gut acht darauf geben, band sie wieder auf das Rentier fest, und das sprang davon. »Fut! Fut!« sagte es oben in der Luft, die ganze Nacht brannten die schönsten blauen Nordlichter; – und dann kamen sie nach Finnmarken und klopften an den Schornstein der Finnin an, denn die hatte nicht einmal eine Tür.

Es war eine solche Hitze dadrinnen, daß die Finnin selbst fast ganz nackend ging; klein war sie und ganz schmutzig; sie löste der kleinen Gerda gleich die Kleider und zog ihr die Fausthandschuhe und die Stiefel aus, denn sonst wäre es ihr zu heiß geworden, legte dem Rentier ein Stück Eis auf den Kopf und las dann, was auf dem Stockfisch geschrieben stand; sie las es dreimal, und dann wußte sie es auswendig und warf den Fisch in den Kochtopf, denn er konnte ja gegessen werden, und sie ließ nichts umkommen.

Nun erzählte das Rentier erst seine Geschichte und dann die der kleinen Gerda, und die Finnin blinzelte mit den klugen Augen, sagte aber nichts.

»Du bist so klug«, sagte das Rentier, »ich weiß, du kannst alle Winde der Welt mit einem Zwirnsfaden zusammenbinden; wenn der Schiffer den einen Knoten löst, bekommt er guten Wind, löst er den zweiten, so weht es scharf, und wenn er den dritten und vierten löst, da stürmt es, daß die Wälder umfallen. Willst du dem kleinen Mädchen nicht einen Trunk geben, daß sie Kraft von zwölf Männern erhält und die Schnee- königin überwindet?«

»Kraft von zwölf Männern?« fragte die Finnin. »Ob das etwas nützen würde?« Und dann ging sie an ein Bord, nahm ein großes, zusammengerolltes Fell herunter und rollte es auseinander; es waren wunderliche Buchstaben daraufgeschrieben, und die Finnin las, so daß ihr das Wasser von der Stirn herabtroff.

Aber das Rentier bat wieder so sehr für die kleine Gerda, und Gerda sah die Finnin mit so flehenden Augen voller Tränen an, daß diese wieder mit den ihren zu blinzeln begann und das Rentier in eine Ecke zog, wo sie ihm etwas zuflüsterte, während es frisches Eis auf den Kopf bekam:

»Der kleine Kay ist allerdings bei der Schneekönigin und findet dort alles nach Gefallen und Wunsch und glaubt, daß es der beste Ort der Welt ist, aber das kommt daher, weil er einen kleinen Glassplitter ins Herz und ein Glaskörnchen ins Auge bekommen hat; die müssen erst heraus, sonst wird er nie wieder ein Mensch, und die Schneekönigin wird die Gewalt über ihn behalten.«

»Aber kannst du der kleinen Gerda nicht etwas eingeben, damit sie mehr Macht bekommt?«

»Ich kann ihr keine größere Macht verleihen, als sie schon hat! Siehst du denn nicht, wie groß die ist? Siehst du nicht, wie Menschen und Tiere ihr dienen müssen, wie sie auf nackten Füßen so gut durch die Welt gekommen ist? Sie soll nicht denken, daß sie ihre Macht von uns erhalten hat, die sitzt in ihrem Herzen, die hat ihren Ursprung darin, daß sie ein liebes, unschuldiges Kind ist. Kann sie nicht selbst zur Schneekönigin hineinkommen und den kleinen Kay von den Glassplittern befreien, so können wir nicht helfen! Zwei Meilen von hier entfernt beginnt der Garten der Schneekönigin, dahin kannst du das kleine Mädchen tragen; setze sie bei dem großen Busch ab, der voll roter Beeren mitten im Schnee steht, halte keinen langen Gevatterklatsch ab, sondern spute dich, daß du hierher zurückkommst!« Und dann hob die Finnin die kleine Gerda auf den Rücken des Rentiers, und das lief, so schnell es konnte.

»Ach, ich habe meine Stiefel nicht mitbekommen, ich habe meine Fausthandschuhe nicht an!« rief die kleine Gerda; das merkte sie an der schneidenden Kälte, aber das Rentier wagte nicht stillzustehen, es lief, bis es an den großen Busch mit den roten Beeren kam; da setzte es Gerda ab, küßte sie auf den Mund, und an den Wangen des Tieres liefen große, blanke Tränen herab, und dann lief es zurück so schnell, wie seine Füße es tragen wollten. Da stand nun die kleine Gerda ohne Schuhe, ohne Handschuhe mitten in dem fürchterlich eiskalten Finnmarken.

Sie lief, so schnell sie konnte; da kam ein ganzes Regiment Schneeflocken; aber die fielen nicht vom Himmel herab, der war ganz klar und schimmernd von den Nordlichtern; die Schneeflocken liefen gerade über die Erde hin, und je näher sie kamen, um so größer wurden sie. Gerda erinnerte sich noch, wie groß und künstlich die Schneeflocken damals ausgesehen hatten, als sie sie durch das Brennglas sah, aber hier waren sie noch weit größer und fürchterlicher, sie waren lebend, sie bildeten die Vorposten der Schneekönigin; sie hatten die wunderlichsten Gestalten; einige sahen aus wie häßliche, große Stachelschweine, andere wie ganze Knoten aus Schlangen, die die Köpfe hervorstreckten, und wieder andere wie kleine, dicke Bären, deren Haare sich sträubten, alle waren schimmernd weiß, alle waren lebendige Schneeflocken.

Da betete die kleine Gerda ihr Vaterunser; und die Kälte war so groß, daß sie ihren eigenen Atem sehen konnte, wie Rauch strömte er ihr aus dem Munde; der Atem wurde

dichter und dichter, und er gestaltete sich zu
kleinen, hellen Engeln, die mehr und mehr
wuchsen, je näher sie der Erde kamen;
und alle hatten sie Helme auf dem Kopfe
und Spieße und Schilde in den Händen; es
wurden immer mehr, und als Gerda ihr
Vaterunser beendet hatte, stand eine ganze
Legion um sie herum; sie hieben mit ihren
Spießen nach den abscheulichen Schneeflok-
ken, so daß sie in hundert Stücke zerspran-
gen, und die kleine Gerda schritt ganz sicher
und unverzagt von dannen. Die Engel
streichelten ihre Füße und ihre Hände, und
da fühlte sie gar nicht, wie kalt es war, und
schnell ging sie auf das Schloß der Schneekönigin zu.

Aber nun wollen wir erst sehen, wie es Kay
erging. Er dachte freilich nicht mehr an
die kleine Gerda und am allerwenigsten daran, daß sie draußen vor dem Schlosse stand.

Siebente Geschichte
Was im Schlosse der
Schneekönigin geschah
und was sich dort
später zutrug

Die Wände des Schlosses waren aus trei-
bendem Schnee und die Fenster und Türen
aus schneidenden Winden; da waren über
hundert Säle, je nachdem der Schnee stob;
der größeste erstreckte sich viele Meilen
lang, das stärkste Nordlicht erleuchtete sie
alle, und sie waren so groß, so leer, so
eisig kalt und so glitzernd. Niemals herrsch-
te hier Frohsinn, nicht einmal ein kleiner
Bärenball fand hier statt, zu dem der Sturm
hätte aufblasen und wo die Eisbären hätten
auf den Hinterbeinen gehen und feine Ma-
nieren zeigen können; nie war da eine kleine
Spielgesellschaft mit Maulklapp und Tatzen-

schlag, nie ein klein wenig Kaffeeklatsch von den weißen Fuchsdamen; leer, groß und kalt war es in den Sälen der Schneekönigin. Die Nordlichter flammten so präzise, daß man zählen konnte, wann sie sich auf dem Höhepunkt befanden und wann sie am niedrigsten standen. Mitten drinnen in dem leeren, unendlichen Schneesaal lag ein gefrorener See, der war in tausend Stücke zersprungen, aber jedes Stück war genau wie das andere, es war ein förmliches Kunststück; und mitten auf diesem See saß die Schneekönigin, wenn sie zu Hause war, und dann sagte sie, daß sie im Spiegel des Verstandes sitze, und das sei das einzige und das Beste auf dieser Welt.

Der kleine Kay war ganz blau vor Kälte, ja fast schwarz war er, aber er merkte es gar nicht, denn sie hatte ihm ja die Kälteschauer weggeküßt, und sein Herz war so gut wie ein Eisklumpen. Er schleppte einige flache, scharfe Eisstücke hin und her, die er auf alle mögliche Weise zusammenlegte, denn er wollte etwas da herausbringen, geradeso, als wenn wir kleine Holzplatten haben und diese zu Figuren zusammenlegen, was das chinesische Spiel heißt. Auch Kay legte Figuren, die allerkunstvollsten, es war das Eisspiel des Verstandes; in seinen Augen waren die Figuren ganz ausgezeichnet und von allerhöchster Wichtigkeit; das machte das Glaskorn, das ihm im Auge saß! Er legte ganze Figuren, die ein geschriebenes Wort bildeten, nie aber konnte er das Wort herausbringen, das er gerade legen wollte, das Wort: Ewigkeit; und die Schneekönigin hatte gesagt: »Kannst du mir die Figur ausfindig machen, dann sollst du dein eigner Herr sein, und ich schenke dir die ganze Welt und ein Paar neue Schlittschuhe.« Aber er konnte es nicht.

»Nun sause ich fort nach den warmen Ländern!« sagte die Schneekönigin, »ich will da einmal in die schwarzen Kochtöpfe hin-

einsehen!« – Das waren die feuerspeienden
Berge Ätna und Vesuv, wie man sie nennt. –
»Ich werde sie ein wenig weiß machen!
Das gehört mit dazu, das tut gut nach all den
Zitronen und Weintrauben!« Und dann
flog die Schneekönigin davon, und Kay saß
ganz allein in dem meilengroßen Eissaal
und sah die Eisstücke an und dachte und
dachte, so daß es in ihm knackte; ganz steif
und still saß er da, man hätte glauben
können, er sei erfroren.

Da geschah es, daß die kleine Gerda durch
das große Tor in das Schloß hineintrat;
dort wehten schneidende Winde, aber sie betete ein Abendgebet, und da legten die
Winde sich, als wollten sie schlafen, und sie
trat in die großen, leeren, kalten Säle ein.
Da sah sie Kay, sie erkannte ihn, sie flog ihm
um den Hals, hielt ihn ganz fest und
rief: »Kay! lieber, süßer Kay! So habe ich
dich denn endlich gefunden!«

Aber er saß ganz still, steif und kalt da. –

Da weinte die kleine Gerda heiße Tränen, die fielen auf seine Brust, die drangen in sein Herz hinein, sie tauten den Eisklumpen auf und verzehrten den kleinen Spiegelsplitter da drinnen; er sah sie an, und sie sang das Lied:

»Im Tal, da blühen die Rosen so schön,
Wir werden das Christkindlein sehn!«

Da brach Kay in Tränen aus, und das Spiegelkörnchen floß ihm aus den Augen heraus, er erkannte sie wieder und jubelte: »Gerda! liebe, kleine Gerda! – Wo bist du denn so lange gewesen? Und wo bin ich nur gewesen?« Und er sah sich ringsumher um. »Wie kalt ist es hier! Wie groß und leer ist es hier!« Und er klammerte sich an Gerda fest, und sie lachte und weinte vor Freude; das war so herrlich, daß selbst die Eisstücke vor Freude rundherum tanzten; und als sie müde waren und sich hinlegten, bildeten sie

gerade die Buchstaben, von denen die Schneekönigin gesagt hatte, daß, wenn er sie fän-
de, er sein eigner Herr sein sollte und daß sie
ihm die ganze Welt und ein Paar neue
Schlittschuhe schenken wollte.

Und Gerda küßte seine Wangen, und sie
wurden blühend; sie küßte seine Augen,
und sie leuchteten wie die ihren, sie küßte
seine Hände und Füße, und sie wurden
gesund und stark. Die Schneekönigin konnte
jetzt getrost nach Hause kommen, sein
Freibrief stand da mit schimmernden Eis-
stücken geschrieben.

Und sie faßten einander bei den Händen
und wanderten aus dem großen Schloß
hinaus, sie sprachen von der Großmutter
und von den Rosen oben auf dem Dach; und
wo sie gingen, legten sich die Winde ganz
still zur Ruhe, und die Sonne brach hervor;
und als sie an den Busch mit den roten Beeren kamen, stand das Rentier da und war-
tete; es hatte ein anderes, junges Rentier bei

sich, dessen Euter voll waren, und das gab den Kindern seine warme Milch und küßte sie auf den Mund. Dann trugen sie Gerda und Kay zuerst zu der Finnin, wo sie sich in der heißen Stube erwärmten und Bescheid über die Heimreise erhielten, und dann zu der Lappin, die ihnen neue Kleider genäht und ihren Schlitten instand gesetzt hatte.

Und das Rentier und das Junge sprangen neben dem Schlitten her und gaben ihnen das Geleite bis an die Grenze des Landes; dort lugte das erste Grün hervor; da nahmen sie Abschied von dem Rentier und auch von der Lappin. »Lebt wohl!« sagten sie alle. Und die ersten kleinen Vögel fingen an zu zwitschern, der Wald hatte grüne Knospen, und daraus herausgeritten kam auf einem prächtigen Pferde, das Gerda kannte – es war vor die goldene Kutsche gespannt gewesen –, ein junges Mädchen mit einer leuchtendroten Mütze auf dem Kopf und mit Pistolen im Halfter; es war das kleine Räubermädchen, das es satt hatte, zu Hause zu sein, und nun erst nach dem Norden wollte und dann nach einer andern Richtung, falls es ihr da nicht gefiel. Sie erkannte Gerda sogleich, und Gerda erkannte sie, das war eine Freude.

»Du bist ein netter Junge, daß du dich so herumtreibst!« sagte sie zu dem kleinen Kay; »ich möchte wohl wissen, ob du es verdienst, daß man um deinetwillen bis ans Ende der Welt läuft!«

Aber Gerda streichelte ihr die Wange und fragte nach dem Prinzen und der Prinzessin.

»Die sind in fremde Länder gereist!« sagte das Räubermädchen.

»Aber die Krähe?« fragte die kleine Gerda.

»Ja, die Krähe, die ist tot!« antwortete sie. »Die zahme Braut ist Witwe geworden und geht mit einem Ende schwarzer Wolle um das Bein; sie klagt ganz jämmer-

lich, und das Ganze ist ein großes Gefasel! —
Aber erzähle du mir jetzt, wie es dir er-
gangen ist und wie du ihn gekriegt hast!«

Und Gerda und Kay erzählten beide.

»Und schnipp — schnapp, schnurre — bas-
selurre!« sagte das Räubermädchen, faßte
sie beide bei den Händen und versprach, daß,
wenn sie einmal durch ihre Stadt käme, sie
hinaufkommen und sie besuchen wolle, und
dann ritt sie in die weite Welt hinaus;
aber Kay und Gerda gingen Hand in Hand,
und wie sie so gingen, war es herrlicher
Frühling mit Blumen und Grün; die
Kirchenglocken läuteten, und sie erkannten
die hohen Türme, die große Stadt, es war
die, in der sie wohnten, und sie gingen in die
Stadt hinein und bis an Großmutters Tür
und die Treppe hinauf in die Stube hinein,
wo alles auf demselben Fleck wie früher
stand, und die Uhr sagte: Tick! Tack!, und die
Zeiger drehten sich; aber als sie durch die
Tür gingen, merkten sie, daß sie erwachsene

Menschen geworden waren. Die Rosen in der Dachrinne blühten zu den geöffneten Fenstern herein, und da standen die kleinen Kinderstühle, und Kay und Gerda setzten sich jedes auf den seinen und faßten sich bei den Händen; die kalte, leere Herrlichkeit bei der Schneekönigin hatten sie wie einen bösen Traum vergessen. Die Großmutter saß in Gottes hellem Sonnenschein und las aus der Bibel vor: »Wenn ihr nicht werdet wie die Kindlein, so werdet ihr das Reich Gottes nicht ererben!«

Und Kay und Gerda sahen sich in die Augen, und sie verstanden auf einmal den alten Gesang:

»Im Tal, da blühen die Rosen so schön,
Wir werden das Christkindlein sehn!«

Da saßen sie beide, erwachsen und doch Kinder, Kinder im Herzen, und es war Sommer, warmer, herrlicher Sommer.

Zu dieser Ausgabe

insel taschenbuch 2578: Der Text des vorliegenden Bandes folgt der 1941 im Insel Verlag Leipzig erschienenen Ausgabe: Hans Christian Andersen, Märchen. Unter Benutzung der von Andersen besorgten deutschen Ausgabe neu übersetzt von Mathilde Mann.

Märchen und Sagen
im insel taschenbuch

Märchen und Sagen
im insel taschenbuch

Märchen und Sagen
im insel taschenbuch

160/3/12.96

Rätsel
im insel taschenbuch